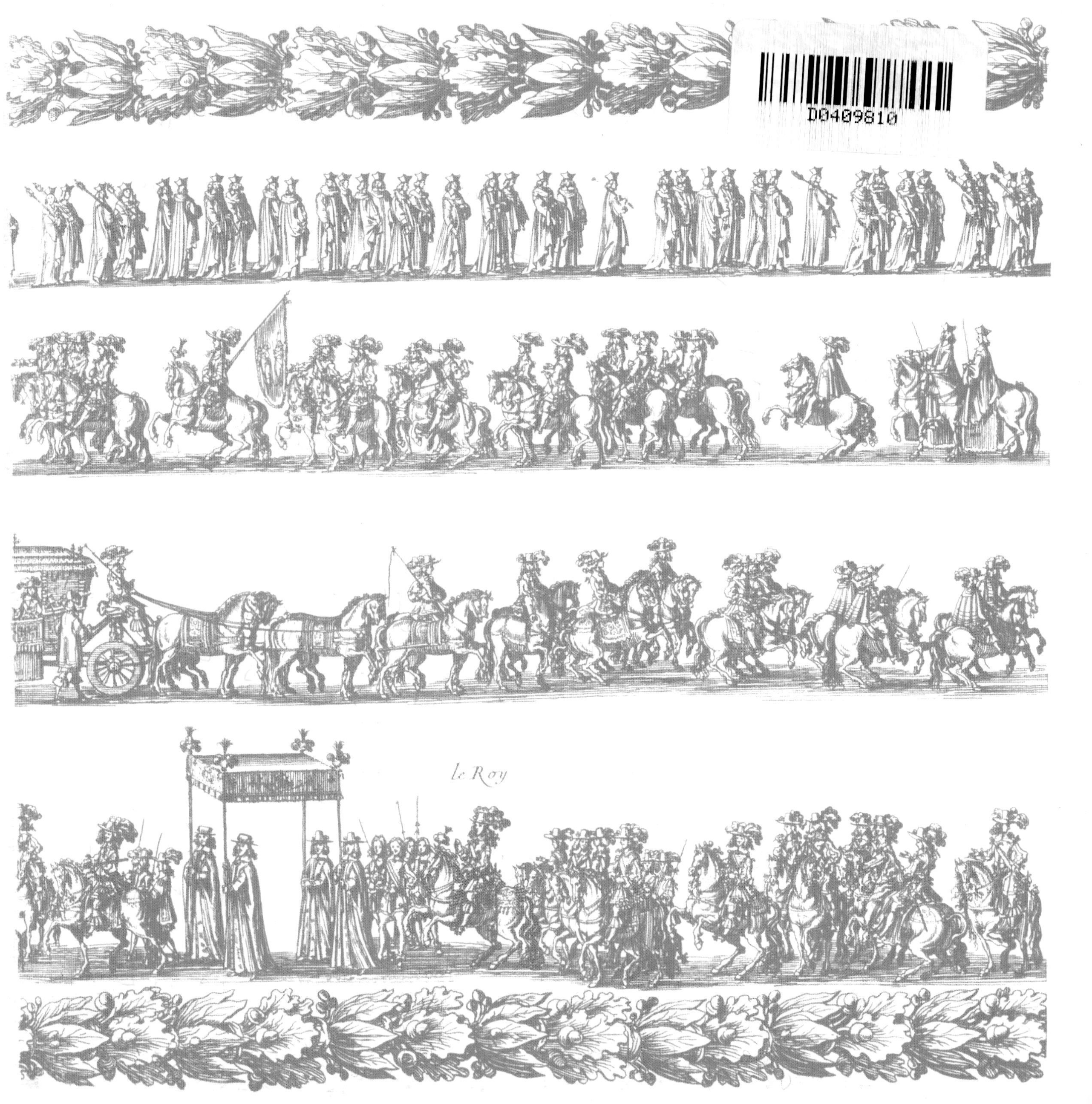
le Roy

À Timothé Minh-Tâm,

Merci à Josette Grandazzi, Marie-Dominique de Teneuille, Pierrick Jan, Catherine Marquet, Hugues Charreyron et Annick Duboscq

Dans la même collection

Mon petit centre Pompidou
Mon petit Cluny
Mon petit Guimet
Mon petit Louvre
Mon petit Orsay
Mon petit Picasso

Conception graphique et mise en pages :
Chloé Bureau du Colombier
Photogravure :
I.G.S.
Impression :
Imprimerie Mame, Tours, France

Marie Sellier
Mon petit Versailles
rmn
CHATEAU DE VERSAILLES

Il était une fois un roi de vingt ans qui régnait sur la France.
Ce jeune roi s'appelait Louis XIV. Il était plein d'ardeur
et rêvait d'avoir pour demeure le plus beau des châteaux :
un château qui brille d'or et d'argent et resplendisse de marbre blanc,
un château qui respire doucement au milieu d'un vaste parc,
un château de musique et de fête à remplir de princes et de princesses,

Louis XIV
(1638-1715)

de laquais et de gardes, de courtisans dévoués, fidèles et empressés.

Ce château de Louis XIV, nous allons le visiter ensemble.

Ouvrons les yeux ! Tendons l'oreille !

Les murs, les peintures, les statues, les parterres

nous murmurent l'histoire de ceux qui vécurent ici

des jours heureux ou moins heureux.

Louis XVI
(1754-1793)

Louis XV
(1710-1774)

il y a ... un bébé inespéré

Le voilà enfin, ce bébé tant attendu ! Sa mère, Anne d'Autriche,
pensait ne jamais avoir d'enfant du roi Louis XIII, son mari.
Elle est si heureuse qu'elle l'appelle Dieudonné
pour remercier le ciel de ce cadeau inespéré.
Mais c'est sous le nom de Louis XIV qu'il sera roi et célèbre.
Pour l'instant, emmailloté comme un petit Jésus, 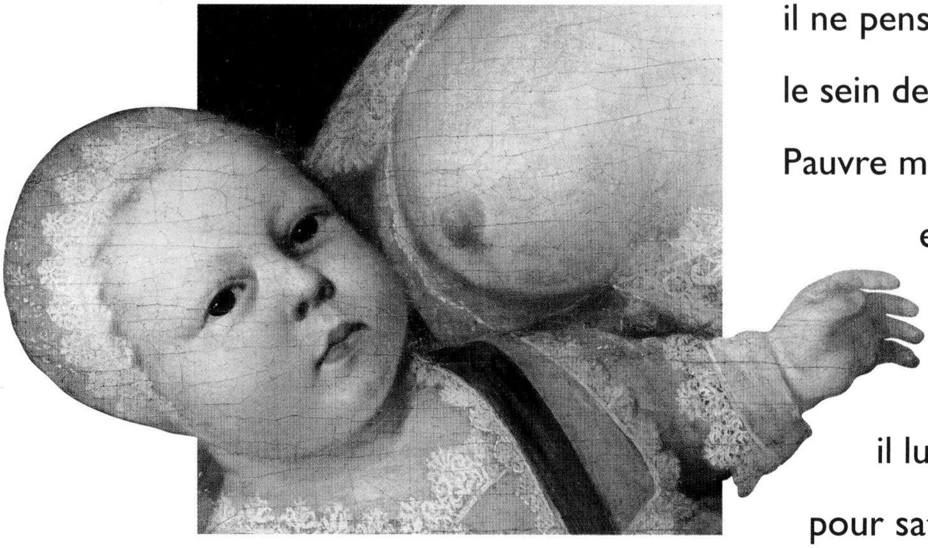
il ne pense qu'à téter
le sein de sa première nourrice.
Pauvre mademoiselle de la Girardière,
elle n'y résistera pas !
Car Petit Louis est fort glouton.
Des nourrices,
il lui en faudra trois de plus
pour satisfaire son royal appétit.

Henri
et Charles
Beaubrun
**Louis XIV bébé
et sa nourrice**
1638-1639
peinture

il y a ... un roi de marbre blanc

Dans sa niche dorée, le roi de marbre blanc a un air conquérant.
Maintenant qu'il règne sur la France, il ne déteste pas
qu'on le représente en empereur romain tout-puissant. 
Tremblez, peuples de la terre !
Louis XIV aime la guerre
et veut dominer le monde
comme il domine le prisonnier
assis et courbé à ses pieds.
Tremblez car il est aussi fort que les lions
qui ornent ses mollets et son casque guerrier !
Et gare à celui qui lui résiste ! D'un regard,
il sera changé en pierre par la terrible Méduse
dont la tête à chevelure de serpents
décore son bouclier.

Jean Warin
Louis XIV en costume à l'antique
1672
sculpture

il y a ... un petit château qui deviendra très grand

Louis XIV se méfie de Paris qui lui rappelle de mauvais souvenirs.
Petit, il a dû fuir en pleine nuit les révoltés de la Fronde
qui voulaient se débarrasser de lui.
Il préfère Versailles et le petit château au fond des bois
où son père l'emmenait chasser autrefois.
Ce château de brique de Louis XIII, Le Vau, son architecte,
va l'envelopper dans un nouveau bâtiment de pierre.
Château vieux et château neuf ne feront bientôt plus qu'un
pour le bonheur du roi qui peut enfin y habiter en 1682
avec sa cour et sa femme Marie-Thérèse.

Marie-Thérèse d'Autriche

Louis XIV

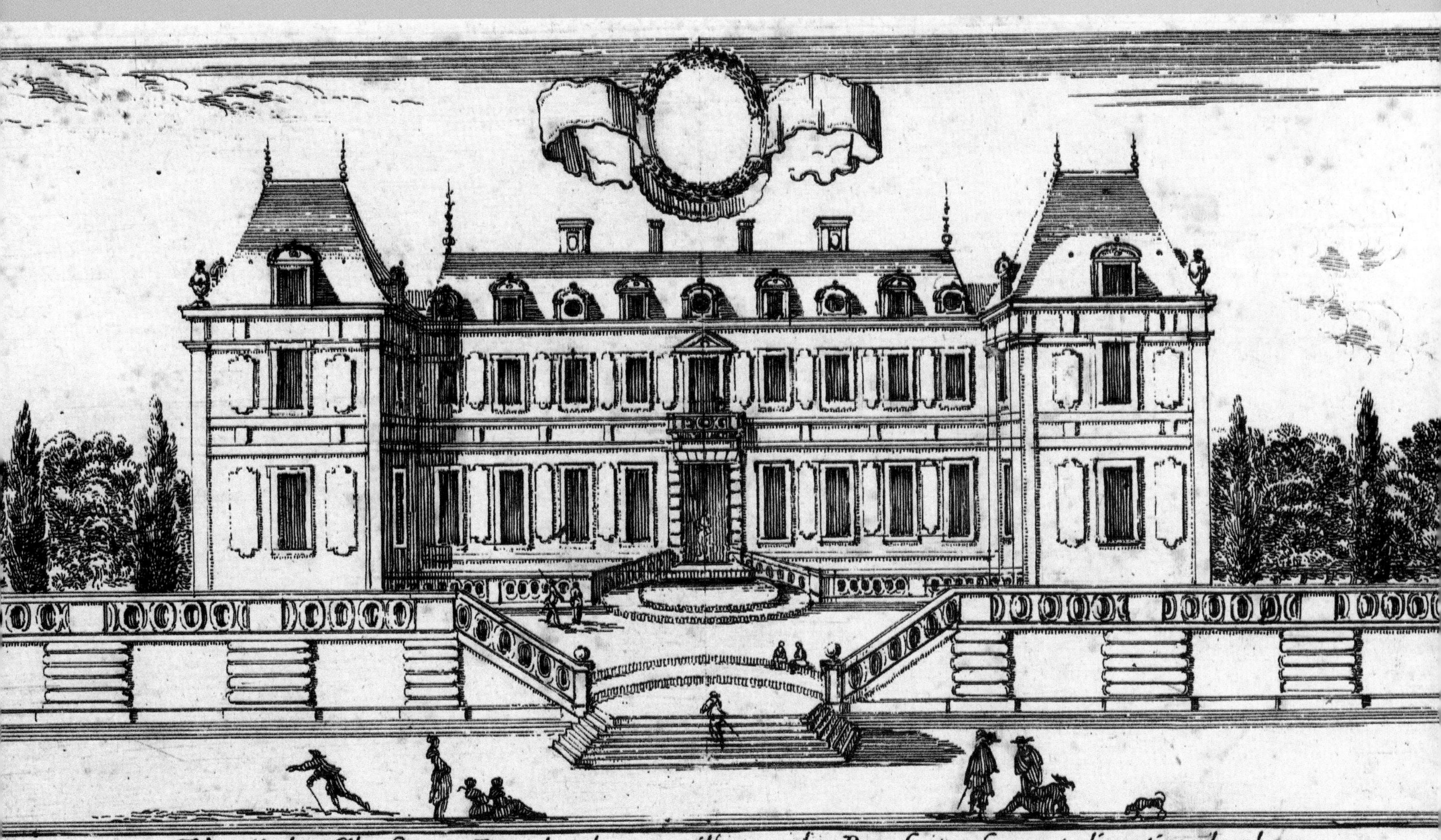
Veuë du Chasteau Royale de versaille, ou le Roy se va souuent diuertir a la chasse.
delin. et fe.
A Paris Chez Israël au logis de Monsieur le Mercier Orfeure de la Reyne, rue de l'arbre sec, proche la Croix du Tiroir

Israël Silvestre
Le Château de Louis XIII
1660-1664
gravure

il y a ... la Galerie des Glaces

Lorsque Louis XIV s'installe à Versailles,
une jolie terrasse italienne sépare
les appartements du roi de ceux de la reine.
Mais l'Île-de-France n'est pas l'Italie.
La terrasse est pleine de courants d'air.
Alors le roi ordonne qu'on la couvre
et fait construire à sa place une grande galerie vitrée
où trois cent cinquante-sept miroirs
reflètent le bleu et l'or du ciel.
Les courtisans n'en croient pas leurs yeux :
c'est bien la première fois qu'ils se voient
en entier, de la tête aux pieds.
On raconte même que certains sont affolés
de se trouver soudain nez à nez avec... eux-mêmes.

La Galerie des Glaces
1678-1684

il y a ... le soleil en personne

Le soleil brille à Versailles,
le soleil règne sur Versailles,
le soleil est roi, et il a pour nom Louis XIV.
Qu'on se le dise ! Et pour que personne
ne l'oublie, de petits dieux soleils,
de joyeux Apollon dorés et souriants,
fleurissent sur les murs du palais
tout entier.

Jules Dugoulon
et Antoon Van Dyck
Emblème du soleil
1701
sculpture, bois doré

il y a ... la Chambre du roi

Voilà où tout commence, voilà où tout finit.

C'est ici que tous les jours se lève et se couche le Soleil.

La balustrade qui partage la chambre en deux
sépare l'espace privé de Sa Majesté
de l'espace réservé à ceux qui assistent à son lever.
Car, à Versailles, il n'y a rien de plus chic que de dire :
« ce matin, j'étais dans la Chambre du roi ».

Le défilé commence dès sept heures et demie :
d'abord le premier valet de chambre,
puis les médecins et la famille,
et enfin les courtisans choisis avec le plus grand soin.
Mais ce que le roi préfère,
c'est le baiser de Perrette, sa vieille nourrice,
qui, toute sa vie, sera fidèle à son petit Louis.

il y a ... des curieux au plafond

Voilà maintenant plus de trois cents ans
qu'ils sont là, ces personnages en coin,
ces curieux élégants, à épier d'en haut
ce qui se passe en bas.
Ils en ont vu défiler, des gens,
dans cette salle des gardes
des appartements de la reine !
Des amoureux, des comploteurs,
des intrigants de tous les temps.
Ils en ont entendu, des secrets et des serments,
derrière les lourdes tentures de leur plafond doré.
Ah s'ils pouvaient parler, ils en auraient
des histoires à nous raconter !

Noël Coypel
Plafond de la salle des gardes des appartements de la reine (détail)
vers 1681
peinture

il y a ... des jardins magnifiques

Le Nôtre, Le Brun, côte à côte, main dans la main,
imaginent pour leur roi le plus beau des jardins.
Le Nôtre est bien plus qu'un jardinier,
Le Brun, le peintre préféré de Sa Majesté.
Le premier va dessiner un parc enchanté
et faire travailler trente-six mille ouvriers
pour transformer les marais de Versailles
en somptueux parterres, bassins et bosquets de verdure.
Le second est son complice. Il peuple les allées de statues
qu'il commande aux meilleurs artistes de son temps.
Tous deux sont les amis du roi qui aime tant ses jardins
qu'il va, lui-même, écrire un petit guide
pour les présenter à ses visiteurs étrangers.

Un palmier
de l'Orangerie
de nos jours

La perspective
du Grand Canal

il y a ... des chambres de verdure

Un jardin sans recoins,
c'est le charme et le mystère en moins.
Le Nôtre le sait bien et il invente pour son roi
des chambres de verdure qui prolongent le palais
à l'infini dans les sous-bois et les bosquets.
Les soirs de fête, les violes, les luths et les hautbois
résonnent dans la nuit, et mille bougies allumées
font briller les yeux des dames et de leurs cavaliers.
On a dressé des tables de marbre blanc.
Les gourmandises viennent tout droit des cuisines du roi.
L'air est doux et embaume la fleur d'oranger.
Chut ! Le spectacle va commencer !

Jean Cotelle
La Salle de bal
vers 1688
peinture

il y a ... l'amour en liberté

Dans les jardins de Versailles, on rencontre
des amours malicieux à cheval sur de grands sphinx blancs.
« Holà ! toi, viens ici ! dit l'enfant de bronze
en agitant la main. Viens répondre
à la devinette du sphinx. »
Il faut alors s'approcher tout près
de la dame au corps de lionne
pour l'entendre murmurer
la plus vieille énigme de tous les temps :
« Quel est l'animal qui marche à quatre pattes le matin,
sur deux pattes à midi et sur trois le soir ? »
Si vous ne trouvez pas la réponse,
Amour vous la soufflera
dans un éclat de rire*.

Jacques Sarrazin
et Louis Lerambert
Sphinx à l'enfant
1667-1668
sculpture, marbre
et bronze

* L'homme.

il y a ... de l'eau partout

De l'eau, il y en a toujours eu à Versailles.
Mais l'eau puante des marécages
et d'un pauvre ruisseau de campagne
n'est pas digne du Roi-Soleil.
À Louis XIV, il faut des canaux et des bassins immenses
pour refléter les ciels changeants d'Île-de-France,
il faut la musique joyeuse de cascades bouillonnantes,
il faut la brume exquise de fontaines aériennes.
Alors on puise dans un étang voisin,
et on imagine tout un système de tuyaux
et de pompes pour faire venir de l'eau en quantité.
Voilà de quoi offrir au roi les bassins les plus variés,
et un grand canal où faire voguer une flottille
de navires aux mâts fièrement dressés.

Anonyme
Vue du Bassin d'Apollon
et du Grand Canal
règne de Louis XIV
peinture

il y a ... un roi de soixante-trois ans

À l'époque de Louis XIV,
la photo, bien sûr, n'existe pas.
Lorsque le roi veut envoyer son portrait
à son petit-fils, le roi d'Espagne,
c'est à Hyacinthe Rigaud, portraitiste réputé,
qu'il demande de le représenter
en grand manteau de cour.
Mais quand il se voit si beau et si imposant,
lui qui, sans talons ni perruque, mesure déjà pourtant plus
d'un mètre quatre-vingts, il ne veut plus se séparer du tableau.
Il demande alors à son peintre d'en faire une copie fidèle.
C'est pourquoi aujourd'hui il existe deux tableaux jumeaux,
l'un au Louvre, l'autre à Versailles, du grand roi Louis XIV
vif et alerte pour ses soixante-trois ans.

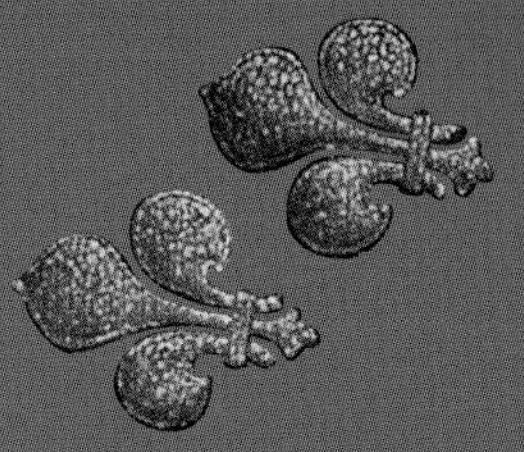

Hyacinthe Rigaud
Louis XIV
1701
peinture

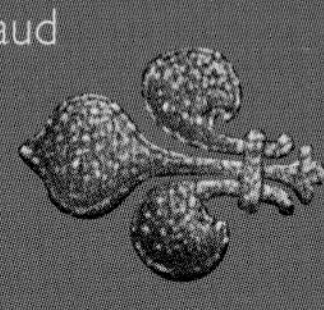

il y a ... une reine secrète

Cette dame vêtue de noir, qui pose ici avec sa nièce,
est la nouvelle reine de France.
Tout le monde s'en doute à la cour,
mais personne n'en est absolument certain,
car c'est en secret que Louis XIV l'a épousée
dans la nuit du 9 au 10 octobre 1683,
trois mois après la mort
de la reine Marie-Thérèse.
On dit que madame de Maintenon
fait ce qu'elle veut du roi,
et, pour cette raison-là,
certains ne l'aiment pas.
C'est le cas de la princesse Palatine, femme de Monsieur,
frère du roi, qui, sans pitié, la traite de « vieille ratatinée ».

Ferdinand Elle
Madame de Maintenon et sa nièce
vers 1695
peinture

il y a ... un roi de cinq ans

À longue vie, long règne.

Louis XIV a été roi pendant soixante-douze ans.

Et maintenant c'est son arrière-petit-fils,

ce petit garçon de cinq ans, qui lui succède.

Le voici dans ce manteau immense,

le lourd manteau des rois de France.

Il est encore trop petit

pour porter la couronne royale

qui brille à ses côtés.

Mais c'est d'une main ferme

qu'il tient le sceptre du pouvoir.

Être roi après le Roi-Soleil,

la tâche ne sera pas facile,

même pour celui que l'on appelle déjà

Louis XV le bien-aimé.

Hyacinthe Rigaud
Louis XV enfant
1716
peinture

il y a ... Madame Première et Madame Seconde

Elles ont beau n'être pas

plus hautes que trois pommes,

on les appelle déjà Madame.

Car elles sont filles de roi

et jumelles, de surcroît.

Madame Première

est en robe gris-vert

et tient un rameau de bois à la main.

Madame Seconde, toute de rose vêtue,

serre une colombe en laisse

contre son cœur.

La première s'appelle Louise-Élisabeth, la seconde, Henriette.

Toutes deux font la fierté de leur papa, le roi Louis XV,

qui n'aura pas moins de huit filles de la reine Marie Leszczinska.

Attribué
à Pierre Gobert
Portrait des deux filles aînées de Louis XV
vers 1728
peinture

il y a ... un colombier

Les rois se succèdent et modèlent Versailles à leur image.
Après Louis XV, c'est au tour de Louis XVI, son petit-fils,
de régner sur la France. Sa femme, Marie-Antoinette,
fait construire dans le parc du château,
un très joli hameau où elle aime venir
se reposer de la vie de la cour.
C'est un petit village
dont les maisons aux toits de chaume
se reflètent dans les eaux paisibles d'un lac.
Il a son colombier et son moulin à roue.
Il a sa ferme modèle, avec veau, vaches et biquettes,
et même sa laiterie où la reine bergère
fait du beurre et du fromage
en compagnie de ses amies.

Le Colombier
du hameau de la reine
1786

il y a ... une famille menacée

Marie-Antoinette sait bien que les Français
l'appellent l'Autrichienne et la trouvent trop dépensière.

Alors, pour tenter de se faire aimer,
elle demande à Élisabeth Vigée Le Brun
de la peindre en compagnie de ses enfants,
sans couronne ni bijoux, en maman,
tout simplement, avec son petit Louis
sur les genoux. Madame Royale,
sa fille aînée, est à ses côtés,
et c'est le dauphin que l'on voit debout
près du berceau vide de la petite Sophie
qui vient juste de mourir.

Mais le pire est à venir. Dans deux ans à peine, ce sera 1789,
la grande Révolution française, et les têtes royales seront tranchées.

Élisabeth
Vigée-Le Brun
Marie-Antoinette
et ses enfants
1787
peinture

il y a ... un carrosse doré

Il faut imaginer ce lourd carrosse doré
tiré par huit chevaux richement harnachés.
Sur la plate-forme arrière,
quatre valets de pied en uniforme
se tiennent droits comme des i,
et la foule se presse pour acclamer Charles X,
le nouveau roi de France, dont on fête le sacre
en ce jour de l'an 1825.
Après lui, il y aura encore Louis-Philippe,
et puis, terminé, plus un roi, plus un. La République est proclamée.
Mais cela n'empêche pas Versailles de continuer à briller de tous ses feux.
Les présidents de la République aussi aiment y séjourner et, qui sait,
peut-être se prendre pour des rois, le temps d'une soirée !

Carrosse
du sacre de Charles X
1825
fonte et bois

Tu peux retrouver
le roi de marbre blanc,
la reine secrète
et les jumelles
au château de Versailles.
Il est ouvert tous les jours
sauf le lundi.
www.chateauversailles.fr

En couverture :

Le Château, côté ville

Henri Testelin, *Louis XIV*, vers 1648 (détail)

Anonyme, *Louis XIV enfant en pied*, vers 1639 (détail)

Pages de garde :

Jean Le Pautre, *Entrée solennelle de Louis XIV et Marie-Thérèse à Paris, le 26 août 1660*, 1660-1661 (détail)

Page 5 :

La Grille d'honneur

Page 6-7 :

Le Château, côté jardin

Atelier de Adam Frans Van der Meulen, *Louis XIV*, 1669 (détail)

Charles Parrocel et Jean-Baptiste Van Loo, *Louis XV*, 18e siècle (détail)

Louis XVI, 18e siècle (détail)

Page 44 :

Vue aérienne du château, côté jardin

1er dépôt légal : mars 2008

Dépôt légal : janvier 2009

ISBN 978-2-7118-5380-9

JK 19 5380

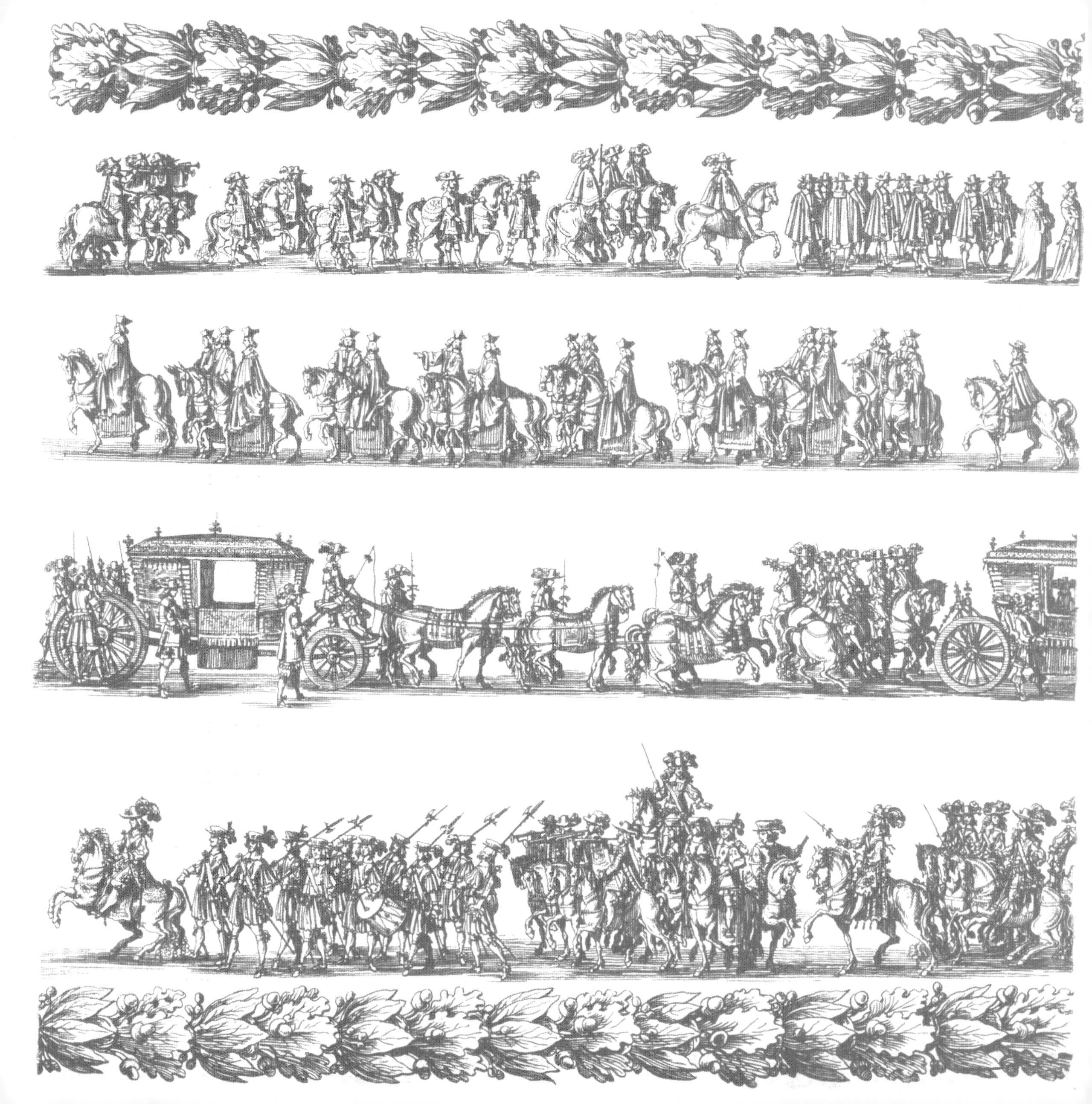